새벽 세시

새벽 세시

프롤로그

사진

우리는 시간이란 입체를
사진이란 평면에 넣는다

어찌 보면 추억이 될
어찌 보면 경험이 될

먼 훗날 잊고 살았던
시간을 꺼내보면

기억으로 바뀌어
한구석에 자리 잡는다

어찌 보면 추억이 된
어찌 보면 경험이 된

우리는 사진이란 평면에서
기억이란 입체를 꺼낸다

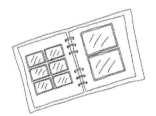

사진첩

추억을 이곳에 한 움큼 담는다
세상이 아무리 추워져도
이곳의 온도는 변하지 않을 테니

추억은 이곳에 영원히 잠든다
우리의 온도를 간직한 채

우리는 추억을 깨운다
세상이 견디기 힘들 만큼 추워져
예전의 그 온도가 그리워

추억이 우리를 깨운다
지친 우리를 위해
쉼터를 만들어 준 것처럼

사진첩은 빛바래 가지만
추억은 어제였듯 생생하다

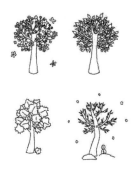

언제나 함께한 계절들

봄의 바람이 살랑거리던 어느 날,
너와 나 수줍게 인사했던 순간을 기억해

여름의 뜨거운 햇살이 내리쬐던 어느 날,
너와 나 해맑게 뛰놀던 순간을 기억해

가을의 단풍잎이 흩날리던 어느 날,
너와 나 단풍잎을 지붕 삼아 책을 읽던 순간을 기억해

겨울의 하얀 눈으로 뒤덮인 어느 날,
너와 나 눈을 이불 삼아 하늘을 바라보던 순간을 기억해

그 계절의 어느 날을 기억해
그 계절의 우리들을 기억해

너와 나의 아름다운 계절을 담아서
너와 이 순간을 이야기할 그 어느 날을 기다리며

목차

제 2부 <새벽 2시>

제 3부 <새벽 3시>

<에필로그>

제 1부

새벽 1시

하얀 깃발

바람이 거세게 불고 지나간 자리에는
커다란 모래바람이 지나간 듯한
흔적만 남긴 후 모든 것을 앗아갔다

거리에는 바람이 여전히 머물고 있었지만
바람과 맞서 싸우기 위해 하얀 깃발을 들었다

바람에 쉽게 사라질 것 같던 깃발은
바람을 타고 점점 퍼져나갔다

바람이 거세질수록 깃발들은
더욱 펄럭 거리면 거세게 저항하였다

언제나 머무를 것 같던 바람은
우리의 깃발에 의해 조용히 사라졌고
거리에는 하얀 깃발만이 가득 찼다

잠

시도 때도 없이 찾아오는 불청객,
바쁠 때 같이 놀자며 나를 보챈다

현실보다 꿈이 더 재미있다며
현실보다 꿈이 더 행복하다며

나의 정신을 헤집어 놓은 후

청개구리 마냥
내가 필요할 때 사라진다

오늘

어제와 내일
그 사이에 있는 오늘

어제에 치이고 내일에 치여
오늘은 생각할 겨를도 없다

내일은 오늘이 되고 어제가 될 뿐
우리가 바라는 내일은 오지 않는다

오지 않는 내일을 기다리며
오늘 하루를 보낸다

우리는 내일이 없어야
비로소 오늘을 챙긴다

안정

안정이 필요한 나에게
자꾸 앞에서 알짱거리는 너,

내가 그러지 말라고 소리치자
그는 내게 시무룩하게 말한다

미안, 정신없게 해서

안부

너의 안부를 물었다

잘 지낸다는 소리,
그 한 마디만 듣고 싶었을 뿐인데
너는 내게 자랑을 늘어놓네

나는 이렇게 말한다
하나도 안 부러워.

별자리

별도 자리가 있는데
내가 설자리는 없네

별 볼일 없는 일에도
내가 맡은 일은 없네

별들은 환하게 빛나는데
내가 있는 곳은 어둠뿐이네

물감

물도 감이 있는데
나는 감조차 없네

물감은 서로 어우러져
조화롭게 살아가는데

나는 세상 속에서
조화롭게 살아가기 벅차네

의문사

눈앞에 펼쳐진 복잡한 세계에서
어디로 가야 하는지, 무엇이 맞는 길인지
의문의 헤맴이 감정의 파동으로 번져 갈 때쯤
답을 찾기 위해 의문을 던진다

사랑해

살아가는 동안
앙금이 많이 쌓였어도
헤프게 웃으며 넘길 수 있는

그러한 사람에게 해주는 말

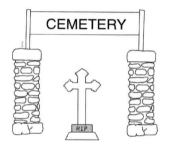

그리움의 언덕

잘 지냈냐고 묻는다면
잘 지냈다고 대답해주겠노라

보고 싶었냐고 묻는다면
보고 싶었다고 대답해 주겠노라

그리웠냐고 묻는다면
그리웠다고 대답해 주겠노라

그러니 꿈에라도 한번 나타나 주기를

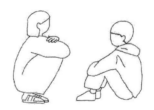

위로

너는 위로 가지 않아도
항상 빛나고 있어

네가 고여있다 생각해도
잔잔히 흐르는 중이야

내가 건네는 이 한마디가
너에게 위로가 되길 바라며

나그네

목적지도 정하지 않은 채
정처 없이 떠도는 나그네

나 그대에게 길 좀 묻겠소,

남들이 비웃지만
여전히 떠도는 나그네

남들이 지쳤을 때도
어디든 가려고 하는 나그네

결국 자신의 길을 찾은 나그네

나, 그대보다 빨리 도착하였소.
나, 그대보다 행복하였소.

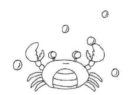

꽃게

세상에 맞서 싸우고 싶지 않던 나는
옆으로 살며시 걷는다

불편해도 세상이 두려워
자신 있게 앞을 볼 수도
당당히 걸을 수도 없다

그러나 결국 나는 세상이란
커다란 장벽에 부딪혔다

나의 노력이 물거품이 되는 순간
게거품을 물며 쓰러진다

나의 항해

아무도 나를 반기지 않아도
아무도 나를 좋아하지 않아도
아무도 나를 신경 쓰지 않아도

나는 나아갈 거야, 저 바다로
나는 나아갈 거야, 굳은 발걸음으로

언젠가는 나를 반길 누군가를
언젠가는 나를 좋아할 누군가를
나를 신경 써줄 누군가를 만나게 될 거야

가슴을 열고 세상을 겪으며 나아갈 거야
나의 꿈을 향해, 이것은 나의 항해

피어나는 꿈

무거운 하늘에 수놓인 별빛 중에서
밝게 빛을 내는 별 하나,

크고 높은 산봉우리 사이에서
작고 부드러운 풀들을 흔드는 바람 한 움큼,

깊고 맑은 바다 사이에서
얕은 해변가에 반짝이는 모래 한 줌,

내 손에 가득 담아
찬란하고 영원한 꿈 이루리라

가득히 손에 쥐어진 그 순간,
찬란하고 영원한 꿈을 향해 나아가리라

바람

내가 오직 바라는 것은
그저 널 지켜보는 것

나는 네가 행복하길 바라
나는 네가 성공하길 바라

내 바람이 바람을 타고
널리 널리 퍼지는 것

결국 내 진심이 너에게 닿는 것

묻어둔 말들

나는 너에게 물었다
너는 나에게 답했다

그 말은 내 마음에 깊이 파고들어
커다란 상처를 만든다

그제야 연고를 발라주지만
상처는 사라지지 않은 채
나의 마음에 자리 잡는다

시간이 지난 후,
새 살이 돋으며 상처의 자리에는
상처 대신 흉터가 자리 잡는다

흉터는 사라지지 않았지만
나는 너의 그 말을 깊게 묻는다

제 2 부

새벽 2시

공백

나의 삶에는 작은 공백이 존재했지만
그 작은 공백은 왜 나에게만 크게 다가왔을까

공백을 매우려 애썼지만
공허함은 더욱 커져만 갔고

애타게 채우려 할수록
공백은 더 깊어져만 가

이제는 나를 구멍으로 만드네

나는 그리움과 공허함을 안았고
나는 오늘의 행복을 잃었네

그런 후에야 비로소 깨달았네

공백을 메꾸는 것이 아니라
그냥 흘러 보내야 한다는 것을

성장통

꽃은 자라기 위해 땅속에서
천천히 뿌리를 펴고
모든 것을 받아들인다

비는 하늘에서 땅으로
한 줄기씩 떨어져 내려
새로운 생명으로 성장한다

아픔은 채찍처럼 떨어지며
나의 성장통은 발자국으로 가득하다

아직은 모르는 길 위에서
성장의 고통을 안고서
높이 솟아나는 나무가 될 것이다

페르소나

가면 속에 감추었던 그림자 속에서
나는 다른 모습으로 선명해진다

그 표면은 속이 깊게 감겨있으며
날카로운 검의 형태를 띠며,
그는 고요하고 은밀한 존재를 비춘다

어두운 정적과 침묵으로
무거운 분위기와 심오한 내면을 품는다

그를 가면 속에 숨기기는 했지만
자꾸 빠져나와 나를 괴롭힌다

하지만 당연하다, 그 또한 나니까

모놀로그

하늘은 어둠으로 뒤덮여 있었고,
비는 마치 내 마음처럼 흐르고 있었다

바람은 소리 없이 스쳐가면서
가슴속 깊은 곳에서 뭔가를 끌어내려 했다

그런 날은 말없이 떠나고 싶었고,
가슴속에 쌓인 무거운 감정은
하나둘씩 무너져 내렸다

눈물은 비로 섞여 흘렀고
마치 모든 감정이 폭풍처럼 내려앉아
더는 버틸 수 없을 것만 같았다

그런 날은 가슴이 무너지는 것 같았다

그런 날

소리 내서 울기도 벅찬 날
눈물을 삼키기도 힘든 날

제대로 울지도 못하고
눈물을 참지도 못하는

그저 눈에 고인 채로
시간만이 흘러가는 그런 날

비

행복은 순간이었고
눈물은 나를 삼켜 영원이 되었네

이 비에 내 눈물이 가려질까
소리 없이 울어본다

하지만 이 비는 나를 더 적셨고
결국 나는 조각조각 찢어져만 갔다

비가 너무 따가웠다
비가 너무 고통스러웠다

눈물이 날 무너뜨린 걸까
이 비가 나를 무너뜨린 걸까

비 내리는 소리만으로도
이제 내 마음은 가라앉아가네

그렇게 떨어지는 비의 소리에
내 마음은 침몰하네

심해

망가진 내가 싫어 도망을 치기를 여러 번,
도망치는 것에서도 난 지쳐있었다

도망이 답이 아닌 것을 알면서도
그 외의 답은 없었기에

내가 망가진 게 아니라
원래 이랬던 것은 아닐까
자책으로 나를 되뇐다

이럴수록 내 감정은 심해로 떨어진다는 것을 알면서도
나는 몸을 바다 깊은 곳에 내던진다

바다뱀이 날 뜯어먹고, 상어가 날 뜯어먹고,
심해 아귀가 날 다 뜯어먹은 뒤에야
만신창이로 수면 위로 올라온다

나는 이미 죽었던 것인가,
살아있음을 알기 위해 몸을 던진 것일까

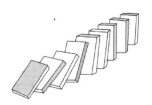

도미노

내 마음은 도미노 같아서
마음에 있는 우울이 연쇄 작용을 일으켜
나를 더 깊은 절망으로 몰아넣는다

넘어지면 또 다른 것들이 흔들리며
무너져가는 마음의 구조를 더 흔든다

그 느낌은 한 번 겪은 나는
마음을 더 처참히 무너뜨리기 위해
도미노를 더욱 화려하게 쌓는다

한 칸 한 칸 더 넓게, 더 아름답게

빼낼 수 없는 못

내가 던진 못은 결국 나에게로 돌아왔구나
그렇게 박힌 못은 빼낼 수조차 없구나

내 마음이 이런 것은 이 못 때문인가
아릿하다 못해 썩어 뭉그러지는 이 느낌

상처가 더 깊어질 수도 없지만
아물지도 않는 이 마음을 안고

나는 과연 너에게 무엇을 할 수 있을까
나는 어떻게 너에게 다가갈 수 있을까

그저 시선을 피하고 흐르는 물결처럼
고요하게 흘러가도록 내버려 두다가

다시 저릿하게 아파질 때면
제대로 아파하는 것 밖에

시간의 굴레

삶은 마치 시계태엽처럼
속절없이 감기고 또 감긴다

누구 하나 빠짐없이
그냥 그렇게 돌아간다

시계태엽이 풀리는 순간
드디어 시간의 굴레에 벗어난다

시곗바늘은 영원히 멈춘다
누군가 나를 다시 감아줄 때까지

흑백

생각이 많아지는 순간
온 세상은 흑백으로 변한다

시끄러운 소음이
서서히 들리지 않게 되고

싱그러운 색깔들은
점차 사라져 간다

내게 남은 것은
오직 조용한 적막과 흑백이다

생각이 나를 떠나는 순간
세상은 내게 다시 돌아온다

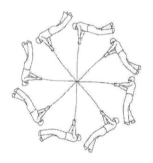

원심력

가상의 힘은 현실로 들어와
많은 것으 무너뜨렸다

칼바람 같은 원심력이 작용하는
절벽 같은 원 끝

그곳에서 힘겹게 살아가는 나
비록 원 끝이지만 버티려 발버둥을 친다

꽃이 피고 나비가 날아다니는
원심력이 0인 평화로운 중앙

그곳으로 가기 위해

흑성

어두운 밤을
빛나게 해주겠다던 그 약속

주위를 둘러보니
밝은 별이 가득이다

나의 빛은 소멸할 듯
위태롭게 이 어둠을 빛낸다

가려져 보이지 않고
남들에게 잊히는 생활에
나의 빛은 차갑게 식어가지만

나의 빛이 온 세상에 펼치길
나의 빛이 누군가의 희망되길

오늘도 소멸할 듯 위태롭던 나의 빛은
어제보다 더 환하게 어둠을 밝힌다

꽃이 피는 과정

나를 꽃피우기 위해
거름이 된 그대를 보며
꽃을 피우기로 다짐했다

바람이 부는 순간,
꽃은 꺾였고
나는 힘 없이 무너졌다

그럼에도 그대는 나를 위해
끊임없이 양분을 준다

나를 일으키기 위해
자신의 무릎을 꿇는다

오직 나를 위해
화분이 되어주려 한다

나는 다시 일어나서
꽃을 피우려 한다
더욱 단단해진 채로,

호수

내 바닥이 보이면
나는 목이 타들어갈 거야

내가 메마르면
모두 나를 떠나겠지

그래도 비는 다시 올 거야
나는 다시 맑은 물로 채워질 거야

비온 뒤 채워진 것들은
그 무엇보다 아름다울 거야

꽃을 피우기 위해

네가 흘리는 눈물은
꽃을 피우기 위한 수분이 될 거고

네가 느끼는 불안함은
꽃을 피우기 위한 바람이 될 거야

너의 자그마한 실패는
꽃을 피우기 위한 거름이 될 거고

너의 뜨거운 열정은
꽃을 피우기 위한 햇빛이 될 거야

네가 보내는 하루하루는
꽃을 피우기 위한 노력인 거야

힘든 하루였든 행복한 하루였든
우리는 성장하는 중인 거야

성장 중에 성장통은 당연하듯
우리도 짧은 성장통을 겪고 있는 거야

아름답고 찬란할 우리의 꽃을 위해

너의 기분에게

울고 싶은 날에는 그냥 울어도 괜찮아

슬픔이 너를 덮치고 가고
아픔에 네가 휩쓸려 가도

마음이 무거워서, 견디기 힘들어서
나의 하루가 어둠으로 가득해져도

기분을 떨치려 애써 잠을 자려고,
긴 하루를 잠으로 채우려 하지 않아도 돼

울고 싶은 날에는 그냥 울어도 괜찮아

얼음

힘들 때 몸을 부풀려
자신의 상처를 감추고

상처를 받지 않기 위해
더욱 차가워지고

찬바람과 싸우기 위해
더욱 단단해져

그런 너에게 보내는
따뜻한 말 한마디

그 말 한마디에
너는 모든 것을 내려놔

부풀렸던 몸은 작아지고
단단했던 마음은 금세 풀리고

차가웠던 너는
내 앞에서 눈물을 보이네

그림자

밝은 너에게도
그림자는 있다는 것을

해를 마주했을 때는
그림자가 뒤에 있어 몰랐다

해를 등졌을 때
비로소 그림자를 보았다

주위를 둘러보니
그 누구에게도 그림자는 있었다

숨은 마음

나의 헛헛함이
너에게 전해지지 않게

나를 일으키려 했던
너의 노력이 헛되지 않게

나는 나를 감추었다
너에게서 숨었다
나조차 모르게

그러나 내가 모르는 것은 따로 있었다

너에게 감추었던 모든 순간들은
네가 조용히 감싸주고 있었던 것을

공통의 언어

너는 달이 예쁘다고 했다
나도 달이 예쁘다고 했다

서로의 눈에 비치는 달빛은
우리 마음을 어루만져 주었다

네가 달을 보면 나도 달을 보고
네가 별을 보면 나도 별을 봤다

너의 눈에 비치는 우주가
나만의 작은 은하수처럼 빛났고

우주는 우리의 공통 언어가 되어
우리는 별들처럼 푸르게 반짝였다

그대에게

그대가 걷는 길이
가시밭길은 아니길

그대가 보는 해가
석양은 아니길

그대가 사는 별이
이 별은 아니길

그럼에도 그대가 걷고자 한다면
나 또한 그대와 함께 나아가리

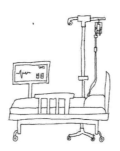

보랏빛 운명

항상 나와 함께 있던 네가
평생을 함께 하겠다고 약속한 네가
한순간의 물거품처럼 사라졌다

너의 마지막 숨결조차 느끼지 못한 채
너를 보내야 하는 순간이 도래했다

운명은 돌고 돈다지만
나에게는 야속했고
후회스러운 마음이 앞선다

지금은 헤어지지만 나는 믿는다
너와의 연결은 끊기지 않았을 거란 것을
돌고 돌아 나의 운명은 너라는 것을

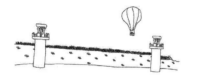

잊지 못할 그날

돌이킬 수 없는 그날
그 하루로 나는 모든 것을 잃었다

그가 돌아보길 간절히 기도했지만
결국 나는 혼자가 되었다

무거운 말들은 여기에 남겨두고 떠났길
마음 아픈 일들은 모두 잊고 떠났길

눈물이 너에게 스며들지 않도록
슬픔이 너에게 전해지지 않도록

그날의 아픔을 깊이 묻어두고
못다 한 말을 내가 대신 전해주리

온도 차

한때는 환하고 뜨거웠던 순간들도
언제인지 모르게 차가워져 어둠에 잠길 때

떠나야 할 때인 것을 알면서도
서로를 맴돌아 손을 붙잡는다

서로의 손이 차가워진 것을 느낀 순간,
서로 멀어진 듯한 우리 모습에
이별을 남몰래 준비한다

너와의 이별에 마음이 아파서
너와의 추억에 가슴이 저려서

우리의 밝았던 순감만큼
뜨거운 눈물을 흘리며

멋진 이별이란 없듯
우리 역시 그렇게 멀어진다

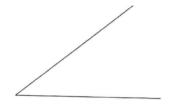

이해의 시차

너에게 도달해야 하던 모든 말은
굴절되어 이해의 간극을 넓힌다

시간은 점차 흘러가고,
내 말은 향하는 길을 잃어가며 변색된다

너의 머리에 도달해야 했던 말은
결국 굴절되어 가슴에 박힌다

나의 흐려진 이야기가
너에게 깊게 박힌다

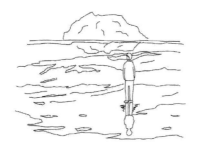

이별의 시선

지켜볼 수밖에 없지만
포기할 수도 없어서
그저 바라볼 수밖에 없었다

아직도 남아있는 여운이 큰 물결을 일으켜
내 안에서 흐르는 기억은 주체할 수 없지만

한 장면, 한 장면 넘어가는
너와의 이야기를 추억으로 깊이 묻어

그리움으로 포장하며
이제는 너를 보내려 한다

그동안 함께 한 모든 순간들을
마음아 눌러 담아 너와 헤어진다

헤어짐의 소원

나는 아직 겨울인데
너에게는 봄이 왔을까

나는 아직 제자리인데
너는 이 자리를 벗어났을까

너의 봄이 찾아왔다면
다시는 겨울이 오지 않길 바랄게

네가 이 자리를 벗어났다면
다시는 나에게 돌아오지 않길 바랄게

나는 간절히 빌고 또 빈다
네 아픔은 내가 대신 감당할 테니까

부디 너는 행복하기를 소원해
네가 언제나 행복을 찾을 수 있기를 기도해

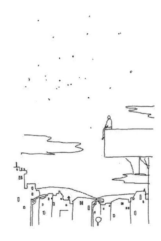

너를 그린다

연보랏빛 아침 새벽
 그 안에 있는 별을 보며
그리운 너를 그린다

연보랏빛 너는
어느덧 검은빛으로
너는 잃어간다

이내 떠나가 버린
네가 아직 그리워
하늘을 보며 너를 그린다

영겁의 시간

손대면 사라질 듯하여

내 마음에 너를 가둔 채
하나 너를 묻지 못한 채

시간의 굴레에 갇혀

그리움과 환상의 그 사이를
끊임없이 서성거리며

영겁의 시간을 견뎌낸다
영원할 너를 기다리며

잊은 소식

기다려 보았으나
너는 오지 않는구나

날 잊은 것인지
사라진 것인지

그조차 난 모른다

내가 할 수 있는 것은
그저 널 기다리는 것뿐

언젠가 네 소식을 듣기 기대하며
나의 기다림은 계속될 것이다

너를 마음에 품은 채

미련한 후회

불행에는 다행이 없다는 것을
미리 알았더라면 너를 붙잡을 수 있었을까

해맑게 웃던 너의 미소를 이렇게 원망한다
나에게 달려오던 너를 이렇게 원망한다

미소를 잃어버린 너와 마주치며 느낀 감정이
어긋나버린 복잡한 인연이었다는 것을

내가 어찌해야 할까
어찌해야 좋을까

지난날의 추억을 돌아보며
끝없이 고민하고 또 고민한다

이별 편지

만남은 쉬워도
헤어짐은 어렵다는 것을

잃는 것은 쉬워도
잊는 것은 어렵다는 것을

쓸쓸한 바람에 묻힌
그 이름을 부르면
마음의 새김에 미소를 잊는다

눈물로 적은 편지를 바람에 실어 보내면
잊혀지지 않는 너의 향기는 함께 날아가겠지

여느 때보다

나의 하루에 너 하나 빠진 일상
여느 때처럼 창백한 달빛이 거리를 비춘다

가로등 불빛에 물들인 거리

한 뼘쯤 가까워지려 하는데
네가 떠올라 나의 머리에 가득히 퍼진다

거리의 새벽은 조용하게 흘러가고
하나둘 꺼진 창가의 불빛들은
너의 부재를 더욱 강하게 느끼게 한다

여느 때보다 네가 떠올라,
그리워서 더 아프다

해수에게

너를 지키기 위해 모든 것을 버렸는데
너조차도 나를 떠나버렸다

너는 나를 믿었지만
나는 너를 믿지 못하였다

혼자가 되기 싫어 몸부림쳤는데
결국 나는 혼자가 되었다

이 넓은 공간에서 나 혼자
쓸쓸하게 걸어가고 있네

눈물로 가득 찬 나의 마음
외로움에 가슴이 아픈 시간들

하지만 나는 앞으로 나아가야 한다
이 넓은 세상을 다스려야 한다

슬픔을 깊이 다듬어 견뎌 왔지만
너를 향한 그리움은 다듬어지지 않는구나

너와 나의 세계가 같지 않다면
내가 널 찾아가겠어

꽃비

항상 나의 곁에 있었지만
내게서 멀어져만 갔고

나는 너를 품었지만
너는 꿈을 품었네

네가 다가왔지만
우리는 서로 외로워졌고

마냥 기쁠 수도, 마냥 슬플 수도 없는
그런 날들이 이어졌던 어느 때

이것이 꿈인지 현실인지
그리움과 애틋함이 서로 어우러져

꽃이 피길 바랐던 나무에서는
그저 꽃비만 흩날리네

사랑이었다

너에게 가지 않으려 애써도
너를 향해 걸어지는 것을

너를 밀어내려 애써도
내가 당겨지는 것을

시곗바늘처럼 따로 돌지만
겹쳐지는 부분이 있다는 것을

낮에는 달이 안 보이지만
항상 너의 곁에서 맴돌았다는 것을

사람들은 아름다운 비극이라 말하지만
이 또한 나에게는 사랑이었다

황혼의 빛

절대 만날 수 없는 낮과 밤사이
황혼의 시간 속에서 우리는 만나

붉기도 어둡기도 한 빛들이 어우러져
시공간을 초월한 듯 착각을 하네

황혼의 빛이 서서히 지는 그 순간
나의 마음은 서글픔으로 적셔지고

가늘게 흐르는 달빛처럼 차가운 어둠은
나의 심장을 아련하게 울리네

황혼의 빛이 이어진다면
서로를 다시 만날 수 있을까

제 3 부

새벽 3시

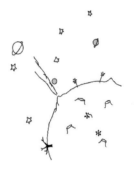

너가 떠난 별에서 보내는 메시지

밤하늘에 떠있는 작은 별,
나는 그곳에서 너를 바라보고 있어

잃어버린 꽃의 미소와 고요한 꽃말,
네가 떠난 자리엔 아련한 향기가 남아있어

모래성처럼 쏟아지는 시간이 흘러가는데
너는 마주한 각별한 순간을 기억할까

네가 내게 다시 돌아오는 날엔
마음의 별에서 오는 이야기를 들려주길

별이 지는 이유

별이 지는 것은 무엇을 의미할까
그저 시간의 흐름에 따른 변화일까

의미도 모르면서 서글퍼지는 이유는 무엇일까
밝게 비쳤던 순간들이 떠오르길 때문일까

서글퍼지는 이유를 찾고 애타게 찾아도
별이 지는 이유를 찾고 애타게 찾아도

별이 지는 것은 그저 우주의 섭리일지도 모르겠다

블랙홀

사건의 지평선에서 특이점으로 떨어지는
아득하게 빠져드는 무중력 속

저 끝도 없는 어둠 속에서
시공간은 뒤틀려 미로처럼 번져간다

끝없이 빨려 들어가는
저 멀리 빛나던 별은

그렇게 사라져 간다

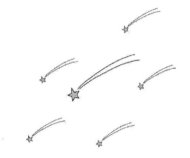

별이 지는 순간

어둠이 서서히 밀려와
모든 것을 가로막는 무언가

시간이 흐르면서도 변하지 않는
끝없는 아픔의 속삭임

눈앞에 번져가는 세상에
내 안의 작은 빛조차도
소리 없이 잠식되어간다

밤의 바다

잔잔하게 파도치는 바다 위.

마치 은하수를 따라 흐르는 듯한 달빛은
물결의 흐름에 따라 춤을 춘다

신비롭고도 찬란한 별들은
밤바다에 무한한 우주를 수를 놓는다

나는 그렇게 밤바다의 아름다움에 매료된다
자유롭고 깊은 바다는 무한한 아름다움을 선사한다
마치 나의 마음을 비추듯

노란 장미

서로 서툰 가시들을 뽐내다
따스한 미소에 길들여지는 바람과
태양의 미소에 피어나는 꽃 한 송이

금빛으로 물들어가는 꽃잎 위에
작은 이슬방울이 흐르듯 맺히면
하나 둘 차례로 피어오른다

그 안에 있는 애정의 노란빛이
내린 꽂힌 그림자처럼 고스란히
서로를 비추며 우리의 영원을
추억의 꽃으로 묻어두리라

은은한 향기가 길들여지는 바람에
흩날리는 순간, 영원함이 꽃이 되어
저 햇살과 함께 노래하리라

무용한 것들

피아노 선율은 우아했지만 서글픈 감정을 안겨줬고
저녁노을은 멋있었지만 공허함이 내 맘을 스쳤고
밤하늘의 별은 아름다웠지만 그 빛마저도 처량해 보였다

무용한 것들이여,
한때는 아름다웠던 순간들은 어디로 간 것인가
과연 어떤 것을 행하고 어디로 향하는가

서글픈 감정을 끌어안고,
다가올 어둠에 공허함을 느끼며
끝없이 번져가는 무의미함이 어지럽게 우리를 감싸네

모순

한낱 종이 쪼가리가 어찌 중요하다 하겠지만
그 종이에 담긴 의미가 무엇인지,

나는 알아주리라, 내가 전해주리라
외치던 한 명 조차도 알지 못했다

내가 엎어버린 작은 잉크가 종이에 서서히 스며들었다
아주 어둡게, 그리고 조용히
그렇게 물들어갔다

사실 그 종이는 물에 타들어 가고 있다는 것을 모른 채

헛된 희망

이게 설령 썩은 동아줄이라도
나는 더는 잡을 것이 없기에
너의 손을 잡고야 만다

이 동아줄이 끊어지면
더 아플 것이라는 것을 알면서도

지금보다는 더 나아질 것이라는
그 헛된 희망에 기대어

이 고통 또한 선택의 대가라면
기꺼이 나 혼자 감내할 것이라고

만개화

만개했던 매화는 시들어
우리에게서 흔적을 감췄네

공허함만이 남은 공간을 보며
매화를 다시 피우리라 다짐했네

비옥한 흙 위에 씨를 뿌려라
봄이 오면 다시 만개할 것이니

처음과 같은 활기와 아름다움으로
우리의 기억을 가득 메워줄 테니

매화의 향기가 퍼져나가는 그날까지

우리가 다시 재회하는 날에
매화가 아름답게 피어날 테니

이방인

익숙해진다 하여
편해지는 것은 아니오

그저 익숙한 불편함이 된 것이오

더 이상 길을 잃지는 않지만
아직도 이 길이 편하지는 않소

그저 익숙한 비탈길이 된 것이오

이 비탈길이 다듬어진다면
비로소 나는 편해질 것이오

희망의 불꽃

춥고 어두운 길모퉁이,

소녀의 손끝에서도
작은 희망의 불꽃은 타오르지만
금세 불꽃은 허깨비처럼 사라져간다

소녀의 눈에 비친 별빛은
다른 세상의 이야기만을 들려주었고

소녀는 그 허상 속에서라도
작게 미소를 지어본다

사라져가는 빛에 대해

나의 말 한마디는 한 줌의 재처럼 사라지고
나의 행동은 흔적조차 없이 증발한다

나는 그냥 그렇게 잊혀진다
나는 그냥 그렇게 버려진다

나는 며칠이 지난 지도 모른 채
사라져가는 빛에 그저 생각한다

나의 머릿속에 남은 기억마저도
나의 기억 속에 있는 자은 추억마저도
심지어 나의 영혼마저도

사라져가는 빛과 같이
나에게서 힘없이 빠져나간다

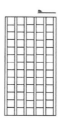

무용함의 노래

시린 꽃잎이 내게 다가오거든
내 손으로 따뜻하게 품어주리

아련한 음악이 내가 들려오거든
나의 우아한 연무로 답해주리

서글픈 바람이 나를 지나치거든
나의 고요함으로 위로해 주리

세상에 모든 무용한 것들에도
감정이 있음을 알려주리

헤아릴 수 없는 것

별을 헤아려 보려 할수록
헤아려지지 않는 이 마음을 어찌하리

보통의 별들은 말없이 빛나지만
이외의 별은 아픔으로 말을 하네

몇 광년일지도 모르는 별들이
머리에 스치는 밤

그저 묵묵히 유성우를 맞으며
길을 걸어가는 것이 나의 길이니

나는 그렇게 할 수밖에

첫 걸음

불꽃처럼 환하게
뜨거워지는 나의 모습

꽃으로 사는 것보다
더 눈부시게 빛나는 순간들

오늘도 서툰 발걸음으로
어색한 이 길을 나선다

하지만 흔들리지 않는
당당한 모습을 하며

당찬 결의

나의 충성이 그에겐 칼날처럼 보였고
정작 자신에게 겨눠진 칼날은 보지 못하였다

그런 아둔하고 미련한 왕을 향해
적막만이 가득한 칠흑의 어둠을 헤치고
죽음을 향한 당찬 결의로 나아가네

절대 누구의 검 아래 무릎 꿇지 않을 각오로

죽음의 그림자도 두렵지 않을 테니

시간의 거리

세월이 지나면서 모든 것이 바뀌지만
우리는 언제나 변함없는 모습으로
함께 시간의 거리를 걷는다

한때는 어린아이의 순수했던 손길과
지금의 세상을 무게를 버티는 어깨가 공존하듯

지나간 날들과 미래의 날들이 어우러져
추억과 꿈을 한 아름 안아들고

마주치는 어려움과 시련 속에서
여전히 우리는 함께 걸어간다

헤아릴 수 없는 시간의 흐름에도
서로의 존재를 잊지 않고
한 걸음씩 꿈과 희망을 향해
우리는 여전히 시간의 거리를 걷는다

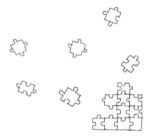

흐린 눈동자

흐린 눈동자 속에 감춰진 이야기들이
아련하게 보일 때 가 있다
그 아련함이 나를 더 아리게 한다

흐린 눈동자가 비추는 세상은
외로워 보일 때가 많다
그 외로움이 나를 더 시리게 한다

흐린 눈동자는 그 어떤 말로도 설명할 수 없다

추억의 조각들이 흐릿하게 떠올라
한숨이 저리고 가슴을 아프게 한다

난파선

먼바다 한가운데 가라앉은 난파선
폭풍의 물결에 휩쓸리며 표류한다

바다로 인해 모든 것을 잃어지만
난파선의 시간은 느리게 흘러가는 듯

잠시 잊혀진 추억들은
보물 상자에 깊이 묻혀있다

잊힌 추억들은 먼바다 밑에서도 영혼은 빛났고
그렇게 난파선은 바다의 푸른 무덤이 된다

빛 바랜 세월의 서곡

잊혀진 날들이 하나 둘 다시 살아나고
그제야 빛바랜 세월의 서곡이 시작되네

그리운 얼굴들이 스며들면서
날아간 꿈과 흘러간 눈물들이
내 가슴 깊숙이 새겨진다

흐릿하고도 선명한,
그립고도 아픈 기억들이 나를 괴롭힌다

고요한 밤을 무대 삼아
시간의 흐름을 따라 춤추는 나의 발걸음

시간이 멈춘 듯한 그 순간을 기억하며
빛바랜 세월의 서곡을 노래하네

고여있는 시간 속에서

기어이 이 품이 나를 부수지 않게
기어이 이품이 너를 부수지 않게

너를 흘려보내는 것 밖에 하지 못했다
나는 고여있는 것 밖에 할 수 없었다

네가 나와 같이 고여있었다면
우리는 호수를 품을 수 있었지 않았을까

내가 너와 같이 흘러갔었더라면
우리는 자유로운 시냇물이 되지 않았을까

어쩌면 함께 봄을 맞을 수 있지 않았을까

몽환의 숲

창백한 달빛 아래 조용한 시간이 흐르면
천천히 몽환의 장막이 내려와
현실과 꿈이 서로 얽혀가네

달빛에 스치던 미소는 어딘가로 사라져
그림자들의 속삭임에 희석되고

망각의 허름한 순간 속에
오묘한 색을 한 방울 떨어뜨려
정체불명의 감정이 서려있는 곳으로 만들어낸다

어두운 과거의 그림자를
아스러진 현실의 조각을
불확실한 미래의 빛을

한 줌에 담아
몽환의 숲으로

흑백 필름

기차의 먼지로 흐려진
연기로 가득 찬 이 거리

언덕 너머 해가 떠오르고
그림 같은 골목길엔 감나무 그늘이

여성들의 드레스와 모자가 휘날리며,
남성들의 코트가 바람에 흔들린다

소리 없는 영화처럼 흘러가는 거리에서
종이와 펜으로 소식이 전해지는 나날들

불빛이 새벽을 밝히며
거리의 소란은 잠든다.

빈티지한 사진 한 장에 간직될 순간,
책갈피에 남은 세월의 향기

도시의 밤

나만 느리게 가는 도시의 밤,
그 한가운데 서있다

빠른 발걸음들은 뒤로 멀어지고
도시의 소음은 점차 가라앉는다

시간의 흐름을 천천히 느끼며
그 안에 있던 도시의 속삭임을 듣는다

느린 걸음으로 서성거리며
도시의 밤을 여유롭게 누린다

나만 느리게 가는 도시의 밤,
그 안에서 나만의 순간을 만난다

비련애가

비 내리는 창가, 한 줄기 눈물이 된다
추억의 비애, 마음의 상처를 감싸 안으며

가슴에 쌓인 비애의 무게,
한 줄기 빗방울로 흐르는 나의 아픔

비틀거리는 발걸음으로 걸어가는 길,
기억의 비가 내린다, 그 사랑의 새벽

이별의 비애가 흐르면
단비처럼 솟아나는 세월의 꽃

비 오는 창가에 앉아,
슬픔의 눈물을 비로 씻어내본다

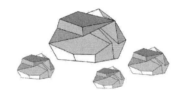

회상

비틀거리는 거리의 돌들 사이로
그림자가 남긴 기억의 흔적

이제 떠나간 그 시절의 나날들 속에서
숨죽이고 있는 아련한 기억들

한 줄기 빛이 내린 창가,

비 내리는 소리에 닿으면
아련함이 흩어지듯 퍼져간다

잊지 못하는 시간을 마음에 품고

빛바랜 사진

빛바랜 사진 한 장에 간직된,
애석한 이야기의 흔적

먼지 투성이인 시간의 틈,
쓸쓸한 마음이 적셔져 흐르는

낡은 틀에 담긴 순간의 미소,
희미한 기억의 감정이 불러온다

그리움의 색깔, 시간이 선명하게
채워지는 고요한 아픔의 향기

아직 그 시간에 살고 있는
빛바랜 사진 속 사람들의
애석한 감정이 시간을 건너 온다

달 그림자

먼 미지의 끝에서 흐르는 바람이 불어
가려진 문을 열어놓고 쓰는 시 하나

종이 한 장에 담긴 나의 이야기처럼
이 공간에 작게 울려 퍼지는 고요함의 소리

추억의 강을 건너 흘러나오는 노래인 듯
쓸쓸한 밤을 채우는 달빛 속의 그림자

아련한 감정의 물결에 휩싸여,
서로의 마음을 알아가듯 쓸쓸한 시가 흐른다

서린 창가

눈이 내리는 저녁, 창밖으로 바라보면
얼어붙은 세상에 머물러 있는 듯한 느낌

어둠이 서린 골목길에
고요한 달빛만이 거리를 비춘다

한 줄기 빛조차도 어디선가 잊혀지는 이 거리에서
한마디의 속삭임조차도 어딘지 흐릿해 보인다

어둠 속에 감춰진 어딘가의 쓸쓸한 미소가
바람에 실려 창가를 스쳐 지나간다

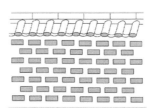

담벼락

슬픔의 벽에 새겨진 기억들은
무거운 그림자로 내 마음을 감싸 안고

슬픔의 벽에 길들여진 기억들은
서로를 찾아 헤매는 어둠 속에 떠돌며

슬픔의 벽에 묻힌 기억들은
마음속에 남긴 아픔을 감춘다

어떤 날, 그림자가 흩어져 사라지면
그 어둠이 걷혀 빛이 새어 들어오겠지

프롤로그

구멍가게의 비밀

삐걱거리고 열기 힘든 낡고 낡아진 나무로 된 문,
허름한 구멍가게의 문을 열면 그 안에는 비밀이 있었어

퀴퀴한 먼지와 뿌연 황사로 뒤덮여
그리움의 향기만 남아있었고
비참한 고독만이 흘러나왔지만
희망이 꿈틀대던 공간이었어

고갤 들어 보면 상상할 수도 없는
전혀 다른 모습을 하고 있었어

구멍가게 주인은 흐린 눈으로
먼지 쌓인 낡은 책을 품에 안고
천천히 발자취를 남기며 이곳의 이야기를 풀어나갔지

이곳은 비록 이렇게 낡아가지만
아이들이 이 앞에서 뛰놀던 모습들은
아이들이 장난치며 웃던 웃음소리는
아직도 이렇게 생생하게 남아있다고

먼지와 황사로 뒤덮였던 작은 구멍가게는
더 이상 낡은 모습을 하고 있지 않았어

아이들의 웃음소리가 그곳을 밝혀 주고 있었어

별빛의 여행

나는 어릴 적 우주 비행가가 될 줄 알았어
붉은 하늘이 점점 검게 물들어갈 때
밝게 비춰오는 한 점이 아름다워 보였어

그 빛을 쫓다 보니 저 멀리 펼쳐진 우주가 보였어
우주는 어두웠지만 신비함을 품고 있었어

우주의 풍경은 내게 미로 같았지만
별들이 내게 이야기를 속삭였지

끝없는 우주를 탐험하며 새로운 세계를 발견했어
한 점의 빛으로 시작한 조그마한 여행은
나를 어디인지도 모르는 곳에 데려다주었어

한 손으로 닿을 것 같은 별을 보며
저 멀리 떨어진 별들의 무수한 광채를 보며

소행성의 작은 세계 속에서 고용한 공간을 헤매며
그냥 그렇게 나만의 시간을 보냈어

세벽 세시

발 행 | 2024년 01월 05일
저 자 | 임현진
펴낸이 | 한건희
펴낸곳 | 주식회사 부크크
출판사등록 | 2014.07.15.(제2014-16호)
주 소 | 서울특별시 금천구 가산디지털1로
119 SK트윈타워 A동 305호
이 메 일 | info@bookk.co.kr
저자 이메일 | dlaguswls05@naver.com
ISBN | 979-11-410-6496-9
www.bookk.co.kr
ⓒ 임현진 2024